这本紫图童书
是宝宝的好朋友

(宝宝的名字)

图书在版编目（CIP）数据

睡不醒的埃米尔／（法）皮著；曾候花译.
—南昌：江西科学技术出版社，2010.4
（埃米尔和露露）
ISBN 978-7-5390-3511-6

Ⅰ.①睡… Ⅱ.①皮… ②曾… Ⅲ.①图画故事-法国-现代
Ⅳ.①I565.85

中国版本图书馆CIP数据核字（2010）第045118号

国际互联网（Internet）地址：
http://www.jxkjcbs.com
选题序号：ZK2009297
图书代码：D10018-101
版权登记号：14-2010-116

ÉMILE ET LILOU À LA FERME © Hachette Livre, 2007
Chinese translation rights arranged with Hachette Livre
Through Bardon Chinese Media Agency
Chinese translation rights © 2010 by Beijing Zito Books Co., Ltd.

丛书总策划／黄利　监制／万夏

编辑策划／设计制作／**紫图童书**　Zito® www.zito.cn

睡不醒的埃米尔

[法] 罗密欧·皮／文图　曾候花／译

出版发行	江西科学技术出版社	
社　　址	南昌市蓼洲街2号附1号	
	邮编 330009　电话：(0791) 6623491　6639342（传真）	
印　　刷	北京市兆成印刷有限责任公司	
经　　销	各地新华书店	
开　　本	787毫米×1092毫米　1/16	
印　　张	18	
字　　数	10千	
版　　次	2010年5月第1版　2010年5月第1次印刷	
书　　号	ISBN 978-7-5390-3511-6	
定　　价	90.00元（全十册）	

赣科版图书凡属印装错误，可向承印厂调换

睡不醒的埃米尔

[法] 罗密欧·皮／文图

曾候花／译

江西科学技术出版社

一埃米尔和露露好喜欢去农场度假！

一整整一天，他们一刻都
没闲下来：一会儿运干草，

一一会儿喂动物……

——……又是捡鸡蛋，又是扫鸡舍……忙得热火朝天！到了晚上，两个小伙伴躺在稻草堆上，好暖和哟！他们甜甜地进入了梦乡……

一第二天一早，**露露**先睡醒了。她想去外面玩，可是**埃**米尔还在睡大觉。怎么办呢？得想个办法把他叫醒！

一 "等一下，我来叫叫看！"小公鸡甩了甩鼓鼓的嗉囊，抢着说。

喔喔喔~~

一好可惜！小公鸡没有成功，
埃米尔还在呼呼大睡。

——"让我来试试吧！"身上点缀着彩色斑点的母牛大声说。一、二、三……

——可是，**埃**米尔
怎么还不挪窝呢！

—"我来!"小鸭子自告奋勇,"你们想叫醒他吗?看我的!"

嘎嘎嘎~~~

—好吵呀!

—可是埃米尔却一点反应都没有。

—"轮到我了！"小驴子跃跃欲试，"嘿嚎哦！"
埃米尔打了一声呼噜，算是对他的回应。

一"看来需要我这个农场之王亲自出马才行呀！"小狗得意地说，"汪汪汪！"

——所有人都担心极了……

——……埃米尔终于可以安安稳稳睡大觉了。

一"够了！"露露说："这回总该睡醒了吧！对了，我想到一个好办法……"

—"早上好呀，朋友们！"埃米尔打着呵欠说，"我睡得好香哇！好了，现在谁想和我一起玩呢？"